A Rafi

© 2007, Editorial Corimbo por la edición en español
Av. Pla del Vent 56, 08970 Sant Joan Despí (Barcelona)
e-mail: corimbo@corimbo.es
www.corimbo.es
Traducción al español de Julia Vinent
1ª edición junio 2007
© 1998, l'école des loisirs, París
Título de la edición original: « Y a-t-il des ours en Afrique ? »
Impreso en Francia por Mame Imprimeurs, Tours
ISBN: 978-84-8470-202-3

Satomi Ichikawa

¿Hay osos en África?

Corimbo

Me llamo Meto.
Esta es la casa donde vivo con mi familia
y con nuestros animales, en un pequeño pueblo
en medio de la sabana africana.

Esta mañana he oído el ruido de un motor. Un coche se acercaba. He pensado:
« Vamos a tener visita. »

Es una familia de turistas
que ha venido a darnos los buenos días.
Seguro que vienen de muy lejos.
No hablan nuestra lengua.
Llevan muchas cosas encima y no dejan
de mirarnos y de hacernos fotos.
Dicen que las hacen como recuerdo.
Son divertidos.

«Meto, enseña tu cabra
a la niña», dice mi padre.
«Seguro que le gustan los animales.»
Es verdad, la niña también tiene
un animal. Es muy pequeño y
lleva un lazo muy bonito en el cuello.
La niña lleva otro igual en el cabello.
Es un animal que nunca había visto
en la sabana.

Ya se van.
Me quedo un poco triste al verlos partir.

Nos dicen: «¡Adiós!»
Nosotros les contestamos: «¡Kwaheri!»*

* Kwaheri (en swahili): Adiós

¡Oh, la niña ha olvidado su animalito!

¡Esperad!

He de atrapar el coche.
Cojo un atajo por el pantano.
Kiboko* me saluda:
«¡Buenos días, Meto!
¿Qué llevas en los brazos?
Es un animalito muy bonito…
¡Dámelo para el almuerzo
del pequeño!»
«¡Ni hablar!», le contesto y
me marcho deprisa.

* *Kiboko*: Hipopótamo

Un poco más lejos,
Simba* y su familia
hacen la siesta.
Intento no hacer ruido.
«Percibo un extraño olor…
¿Qué es esto? ¿Hay un nuevo
animal en mi reino y nadie
me ha dicho nada?»
Pero no tengo tiempo
de darle explicaciones.
El coche ya se aleja.

Simba: León

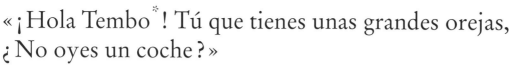

«¡Hola Tembo*! Tú que tienes unas grandes orejas,
¿No oyes un coche?»

«Si, Meto. Pero sobre todo oigo a una niñita
que llora muy fuerte. Viene de este lado.»

«¡He de llevarle su pequeño animal!»

«Es raro este animal», dice Tembo.

«Nunca había visto uno por aquí.»

«Viene de un país lejano. Y debe volver con la niña.»

«Corre deprisa, Meto, no debe estar muy lejos.»

* *Tembo*: Elefante

«Buenos días, Twiga[*]. ¿Tú que tienes el cuello tan largo, puedes decirme si ves un coche verde?»

«Sí, lo veo. Se acerca a un pájaro gigante.»

«Vaya, entonces seguramente es un avión. Ayúdame, Twiga, este pequeño animal ha de partir también.»

«¡Qué raro es! Nunca había visto un turista como éste. Venga, sube a mi lomo.»

*Twiga: Jirafa

Twiga galopa con toda la fuerza de sus largas patas.

«¡Esperadnos!», gritan Kiboko, Simba y Tembo.

«Queremos saber cómo se llama ese animal desconocido.»

«Más rápido, Twiga, ¡se van a ir!»

La niña llora tan fuerte que la encontramos
enseguida. Le doy su animalito.
«Oh, mi oso, mi oso. ¡Gracias!»
¡Oso! Así que ése es el nombre del animal.
Entonces ella me da su lazo rojo.
«Toma, es un regalo para tu cabra…
¡Beee, Beee!, ¿Comprendes?»
El lazo debe de ser para mi cabra…

Y el avión despega.
Rápidamente desaparecen detrás de las nubes.

La noticia se extiende enseguida por la sabana:
«El pequeño animal era un oso», dice el leoncito.
«¡Un oso! Pero no hay osos en África», se extraña un viejo
rinoceronte. «En todo caso, yo nunca había visto ninguno.»

«Estaba aquí, te lo prometo», responde el pequeño león.
«Pero tenía que irse de nuevo a su lejano país.»
«Probablemente haya sido el primer oso de África.
¡Qué acontecimiento!»

Mi cabra está muy contenta de tener un lazo.
Le he dicho que el osito tenía uno igual.

Pienso a menudo en ellos.